Amadeus

Amadeus ist ein echtes Zirkuspony!

Conni

Und das bin ich auf Ottokar, dem gutmütigsten Pony aller Zeiten.

Lars und Liska

Lars und Liska kenne ich schon von meinem letzten Besuch auf dem Ponyhof.

Conni und das tanzende Pony

Julia Boehme

Conni und das tanzende Pony

Mit Bildern von Herdis Albrecht

CARLSEN

Drehstuhlpony

Bis vor zwei Minuten war Annas Idee die beste der Welt: In den Ferien einen Voltigierkurs besuchen! Auf dem Ponyhof!
In einer Woche fahren sie schon los. Jetzt aber steht Conni zu Hause auf ihrem Drehstuhl. Schließlich passt kein Pferd ins Zimmer. Ist das wacklig! Hilfe! Conni kann sich kaum auf einem Bein halten. Wie soll sie da das andere Bein gerade nach hinten strecken, so wie auf dem Foto? Hätte sie sich bloß nicht dieses blöde Voltigierbuch ausgeliehen. Was die da alles machen! Oje! Conni klammert sich an der Lehne fest und versucht das andere Bein nach hinten zu strecken. Sehr elegant sieht das nicht aus. Und ausgerechnet da geht die Tür auf: »Conni?« Hätte sie sich nicht festgehalten, wäre sie sicher vor Schreck vom Stuhl gepurzelt. Blitzschnell springt

Conni auf den Boden. »Mama!«, knurrt sie vorwurfsvoll.
»'tschuldigung«, nuschelt Mama. Immer fällt es ihr zu spät ein, dass sie ja auch mal anklopfen könnte. Wie eine weiße Fahne schwenkt sie einen Brief: »Du hast Post!«

»Danke.« Conni schnappt sich den Brief. Der ist ja von Liska – endlich!
Sie wartet, bis Mama die Tür hinter sich zumacht, dann reißt sie das Kuvert auf.
Conni hat Liska bei ihren Ferien auf dem Reiterhof kennengelernt. Genau dem Reiterhof, der jetzt auch den Voltigierkurs anbietet. Und natürlich haben Conni und Anna ihre Freundin gleich gefragt, ob sie nicht auch mitmachen möchte.

POST

Liebe Conni,
Ferien auf dem Ponyhof? Was glaubst Du denn?
Klar will ich! Ich habe mich bereits angemeldet.
Voltigieren wollte ich immer schon mal ausprobieren.
Und natürlich freue ich mich riesig Dich und Anna
wiederzusehen!
Viele liebe Grüße
Liska

Hurra! Das werden bestimmt supertolle Ferien! Das wacklige Drehstuhlpony muss erst einmal warten, denn schon stürzt Conni zum Telefon: Anna anrufen!

Das große Wiedersehen

Dann ist es so weit: Anna und Conni sitzen auf der Rückbank von Papas Auto und starren gebannt aus dem Fenster.
»Gleich sind wir da«, meint Papa.
Als ob sie das nicht wüssten! Da, gerade fahren sie am Ortsschild von Rittenfelde vorbei. Papa setzt den Blinker und schon holpern sie über Kopfsteinpflaster durch eine schmale, schattige Allee.
»Juhu!« Direkt vor ihnen liegt der Ponyhof. Kaum hält der Wagen, stürmen Conni und Anna los. Denn aus dem grünen Kombi, der kurz vor ihnen angekommen ist, holt Liska gerade ihr Gepäck.
»Hallo!«, lacht sie. Und schon fallen sich alle um den Hals.
Vor dem Haus warten Herr und Frau Behrens auf ihre Gäste. Ihnen gehört der Ponyhof.

»Wie schön! Dann sind ja alle da«, freut sich Frau Behrens. »Ihr habt noch etwas Zeit und könnt euch in Ruhe euer Zimmer einrichten. Es ist gleich oben rechts. Und um drei Uhr gibt es vor dem ersten Training noch eine kleine Stärkung.«
»Soll ich euch tragen helfen?«, fragt Papa, als er ihre Reisetaschen aus dem Kofferraum hievt.
»Wir sind doch keine Babys«, stellt Conni klar.
»Tja«, meint Papa, »dann bin ich hier wohl überflüssig.«
»Stimmt haargenau!« Conni gibt Papa schnell noch ein Abschiedsküsschen, bevor sie ihn ins

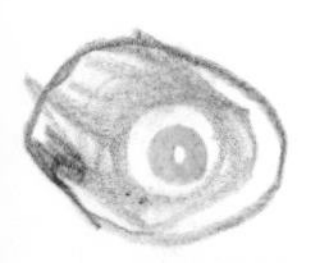

Auto schiebt. »Gute Fahrt und grüß Mama und Jakob schön!«
Papa winkt noch einmal aus dem Fenster, bevor er um die Ecke biegt. Aber das hat Conni gar nicht mehr gesehen. Denn schon schleppen Anna, Liska und sie ihre Reisetaschen ins Haus, die Treppe hoch zum Mädchenschlafzimmer.
Von den vier Betten ist eines bereits belegt.
»Wer schläft denn hier?«, wundert sich Liska.
»Mann, ist die ordentlich«, staunt Anna.
Das geblümte Nachthemd liegt exakt in der Mitte des Bettes. Gleich darunter auf dem Fußboden stehen fein säuberlich ein Paar Hausschuhe. Und auch auf dem Nachttisch herrscht penible Ordnung.
»Oje, hoffentlich ist das nicht irgend so eine Pingeltante«, meint Liska.
»Ach, mit der werden wir schon fertig«, lacht Conni.
»Stimmt, die wird sicher mehr unter unserer Unordnung leiden als wir unter ihrer Ordnung«, meint Liska und wirft mit Schwung all ihre Tüten und Taschen aufs Bett.
Anna, die angefangen hat ihre Sachen in einen der Schränke zu räumen, schaut sie von der Seite an.
Ein bisschen mehr Ordnung würde Liska auch nicht schaden …

»Wollen wir nicht lieber zu den Ponys gehen?«, fragt Conni. »Auspacken können wir doch später noch!«
Das überzeugt selbst Anna. Die drei rennen die Treppe wieder hinunter, quer über den Hof zur Weide.

Sie müssen gar nicht lange warten. Schon kommen die Ponys zu ihnen ans Gatter getrabt, um sie zu begrüßen. Conni kennt sie noch alle von ihrem letzten Besuch auf dem Pferdehof: Da ist Nero, ein ungestümer Rappe, Pünktchen, die alte Liese, Kasper, Josefina, Bianca, Stern und Wirbelwind. Nur ein Pony fehlt. Eine kleine Schimmelstute.
»Wo ist denn Karlina?«, fragt Conni.
Liska zuckt mit den Schultern. »Keine Ahnung!«
»Das gibt's doch nicht«, murmelt Conni enttäuscht.

Ausgerechnet Karlina ist nicht da. Ihr Lieblingspony!
»Vielleicht wird sie gerade geritten«, versucht Anna sie zu trösten.
»Jetzt? Das glaub ich nicht!« Conni schluckt. »Sie wird doch noch hier auf dem Hof sein, oder?«
»Bestimmt«, sagt Anna schnell. »Wir fragen gleich mal Frau Behrens!«
»Schaut doch mal den Fuchs dahinten«, meint Liska plötzlich. »Der ist neu, oder?«
»Ist der hübsch!«, ruft Anna.
Conni nickt. Das Pony hat leuchtend rotes Fell, eine helle Mähne und eine breite Blesse am Kopf. Besonders niedlich sind die vier weißen Söckchen. Trotzdem: Karlina wäre ihr lieber gewesen. Conni

hatte sich schon so auf sie gefreut. Die Möhren in ihrem Rucksack sind doch vor allem für sie!
»Warum kommt der Neue denn nicht auch ans Gatter?«, fragt Anna und schnalzt mit der Zunge. »Na, komm doch! Komm!«
Der Fuchs stellt aufmerksam die Ohren auf und trabt zwei Schritte näher heran. Doch ganz ans Gatter traut er sich nicht.
»Mann, ist der scheu!«, lacht Liska.
»Passt mal auf, gleich kommt er!« Conni zieht eine Tüte aus ihrem Rucksack. »Hallo! Wir haben auch was Schönes dabei.«

Die anderen Ponys drängen sich noch näher um die Mädchen. Jedes versucht am meisten Äpfel und Möhrenstückchen zu ergattern.
Nur der Neue traut sich immer noch nicht. Na, so was! Conni läuft am Zaun entlang, ganz in seine Nähe.
»Ja komm, das ist für dich!«, lockt sie und hält

ihm eine Möhre hin. Zaghaft kommt das Pony näher. Es hat Conni fast erreicht, als Nero blitzschnell herangaloppiert und es verjagt.
»Na, hör mal! Was soll denn das? Es ist genug für alle da!«, schimpft Conni und versteckt die Möhre hinter ihrem Rücken. »So ein Rüpel wie du bekommt keine Extramöhre!«
Nero scharrt mit seinem Huf, doch Conni bleibt eisern. Als der Rappe wieder zu Anna und Liska hinübertrabt, versucht Conni nochmals das neue Pony an den Zaun zu locken. Doch es traut sich nicht mehr. So verfüttert Conni ihre Möhre schließlich an Liese. Kaum sind die Leckerbissen alle, tollen die Ponys wieder auf der Weide herum. Der kleine Fuchs bleibt dabei immer abseits der Herde.

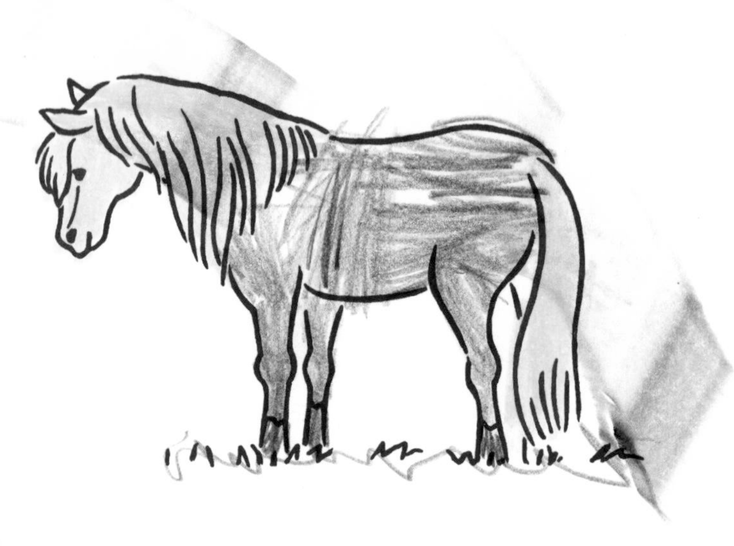

»Er scheint hier noch gar keinen Freund gefunden zu haben«, meint Conni.
»Armer Kerl«, nickt Anna. »Manchmal ist es auch für Ponys schwer, irgendwo neu zu sein!«
»Seid mal still!« Liska legt den Finger auf den Mund. »Ich glaub, in der Halle wird trainiert!«
»Was? Schon?« Conni kann es kaum glauben. Doch jetzt hört sie es auch: In der Reithalle gibt jemand Anweisungen. »Los, lass uns mal gucken!«, schlägt sie vor.
Tatsächlich! Mitten in der Halle steht Frau Behrens und longiert ein Pony. Ein hübsches, schneeweißes Pony.
Conni macht vor Freude einen Hüpfer. »Aber da ist ja Karlina!« Nur schade, dass die Äpfel und Möhren schon alle sind.
Doch Karlina hat zum Fressen auch gar keine Zeit. An der Longe galoppiert sie im Kreis herum. Auf ihrem Rücken kniet ein Mädchen.
»Schaut euch das an«, staunt Anna. Das Mädchen steht auf, streckt ein Bein nach hinten und macht, perfekt wie aus dem Lehrbuch, die Übung, die Conni zu Hause auf ihrem Stuhl probiert hat.
Doch das Beste kommt noch: ein Handstand. Ein Handstand auf einem galoppierenden Pony! Wahn-

sinn! Conni bleibt die Luft weg. Sie reitet ja selbst schon seit ein paar Jahren. Und natürlich machen sie hin und wieder kleine Übungen auf dem Pferderücken, reiten freihändig oder verkehrt herum. Aber so etwas? Das ist ja zirkusreif!
»Prima, Celina! Einfach großartig!«, ruft Frau Behrens. »Mach noch einen schönen Abgang, dann hören wir für heute auf.«
Im nächsten Moment wirbelt Celina durch die Luft und landet kerzengerade auf dem Boden.
Conni, Anna und Liska applaudieren.

»Oh, wir haben ja Zuschauer«, ruft Frau Behrens. Celina macht lachend eine kleine Verbeugung. Während Frau Behrens Karlina ablongiert, schlen-

dern die drei Freundinnen wieder zur Ponyweide hinüber.
»Vielleicht war das mit dem Voltigierkurs doch keine so gute Idee«, murmelt Anna.
»Wieso das denn?«, fragt Liska verwundert.
»Hast du das nicht gesehen? Ich kann ja noch nicht einmal auf dem Boden einen vernünftigen Handstand«, erwidert Anna.
»Na und? Soweit ich weiß, haben wir uns für einen Anfängerkurs angemeldet«, lacht Liska.
»Trotzdem, allein das Abspringen!«, ruft Anna.
»Das geht bestimmt auch einfacher«, meint Conni.
»Klar«, sagt Liska. »Das normale Abspringen ist ganz leicht.«
Anna hebt den Kopf. »Wirklich?«
»Aber ja«, nickt Liska, »nur das Aufspringen soll verflixt schwierig sein!«
Anna guckt, als habe sie in eine saure Zitrone gebissen.
»Na komm!« Conni stupst sie aufmunternd an.
»Das wird schon nicht so schlimm!«
Seufzend schiebt Anna ihre Brille hoch. »Diese Celina macht das alles, als ob es nichts Einfacheres gäbe. Und dann sieht sie noch verdammt gut aus.«
Liska nickt. »Würde mich nicht wundern, wenn es

die ist, die bei uns im Zimmer wohnt. Das ist eins dieser perfekten Mädchen: kann immer alles, ist ordentlich, hübsch und hilfsbereit! Woaah, schrecklich!« Liska schüttelt sich.
Anna wirft ihr einen bösen Blick zu. »Überhaupt nicht schrecklich!« Also, wenn sie einen Wunsch frei hätte, wüsste sie, was sie sich wünscht: nämlich ganz genauso wie diese Celina sein!

Die Ponys auf der Weide beachten die Mädchen nicht weiter. Gemütlich grasen sie im Schatten und denken gar nicht daran, noch einmal an den Zaun zu kommen.
»Kaum haben wir nichts mehr zum Knabbern, sind wir abgemeldet!«, schimpft Conni lachend.
»Dann können wir ja auspacken«, sagt Anna.
»Fällt dir nichts Besseres ein?« Liska stöhnt, kommt dann aber doch mit aufs Zimmer. »Na gut, bringen wir's hinter uns.«
Sie sind fast fertig, als die Tür aufgeht. Es ist Celina. »Hallo«, sagt Anna. »Du kannst echt …« Sie bricht mitten im Satz ab und starrt – ebenso wie Conni und Liska – fassungslos auf den langen weißen Stock, den Celina bei sich hat. Einen Blindenstock! Conni findet als Erste ihre Sprache wieder.

»Du kannst echt toll voltigieren«, beendet sie Annas Satz.
»Danke! Dann habt ihr also zugeschaut«, lacht das Mädchen. »Ich heiße übrigens Celina. Und ihr?«
»Ich bin Conni.«
»Ich Liska!«
»Und ich bin Anna!«
»Bist … bist du blind?«, platzt Liska heraus.
»Ja, von Geburt an«, sagt Celina. Dabei klingt sie gar nicht traurig.
»Kannst du gar nichts sehen?«, fragt Conni.
»Nichts!«
»Wie ist denn das?«, fragt Liska. »Siehst du dann einfach nur schwarz?«
»Nein«, sagt Celina. »Nicht schwarz, nicht weiß, nicht grau. Ich sehe einfach nichts. Man hört ja auch keinen hohen oder tiefen Ton, wenn man taub ist.« 
»Nichts?« Anna schüttelt sich. »Das kann ich mir gar nicht vorstellen.«

»Und ich kann mir Sehen nicht vorstellen«, meint Celina. »Im Übrigen müsst ihr euch keine Sorgen machen, ich brauch keinen Babysitter. Hier auf dem Hof kenne ich mich prima aus.«
»Wir machen uns keine Sorgen«, sagt Conni schnell. »Aber wenn wir trotzdem mal helfen können …«
»Das ist nett«, lacht Celina. »Also, es wäre toll, wenn ihr möglichst wenig auf dem Boden rumstehen lasst. Das sind echte Stolperfallen für mich.«
Liska überlegt einen Moment. »Bist du deswegen so ordentlich, damit du nicht fällst?«
»Ja, und damit ich alles wiederfinde.« Celina lacht. »Ohne Ordnung bin ich verloren!«
»Und worauf sollen wir noch achten?«, fragt Anna hilfsbereit.
»Darauf, dass die Schranktüren zu sind. Sonst knalle ich garantiert dagegen!«
»Kein Problem!«, meint Liska und schließt ihre Schranktür mit einem gezielten Tritt.
Wumms!

Max und Moritz

Den Imbiss gibt es draußen im Garten. Frau Behrens hat Getränke, Obst und belegte Brote hingestellt. Die Mädchen sitzen schon am Tisch, als noch zwei Jungs dazukommen. Den einen kennt Conni nur zu gut von ihrem ersten Besuch auf dem Hof.

»Hallo, Lars!«

»Hi, Conni!«

»Ich hätte gar nicht gedacht, dass du dich fürs Voltigieren interessierst«, meint Conni.

»Ich auch nicht«, grinst Lars. »Aber als ich hörte, dass du kommst …«

»Du bist extra gekommen, um mir wieder ein paar Streiche zu spielen, stimmt's?«

»Stimmt haargenau!«
»Da bin ich ja mal gespannt«, lacht Conni. Sie nickt dem anderem Jungen zu. »Ich bin Conni. Und wie heißt du?«
»Moritz«, sagt Moritz und beißt in einen Apfel. Sehr gesprächig scheint er nicht zu sein. Doch Frau Behrens hilft aus: »Moritz' Vater hat letzten Monat hier die Tierarztpraxis übernommen«, erzählt sie. »Und habt ihr schon den wunderschönen Fuchs auf der Weide gesehen? Das ist Moritz' Pony!«
»Und das heißt bestimmt Max«, posaunt Liska dazwischen. »Dann sind es nämlich Max und Moritz!«
Die Mädchen kichern. Moritz wird rot.
»Heißt es etwa wirklich Max?«, fragt Conni ungläubig.
»Was dagegen?«
»Nö«, meint Conni und grinst.
Für eine Weile sagt Moritz gar nichts mehr, während sich die anderen beim Essen fröhlich unterhalten. Doch dann entdeckt er Celinas gelben Blindenanstecker. 
»Eh, cool! Wo hast du denn den Button her? Den muss ich mir unbedingt auch besorgen. Den hefte ich mir vor dem nächsten Mathetest an: Tut mir leid,

bin über Nacht erblindet – da kann ich leider nicht mitschreiben!«
Er lacht. Den anderen bleibt die Luft weg.
»Ich hab noch einen, wenn du willst«, sagt Celina.
»Cool!« Moritz strahlt. Dann fällt sein Blick auf Celinas Blindenstock. »Eh«, stottert er. »Du bist doch nicht in echt blind, oder?«
»Doch«, sagt Celina freundlich.
Moritz' Kinnlade klappt runter. »Was? Und du reitest hier mit?« Er schüttelt sich. »Ich fass es nicht! Mein Vater muss blechen, dass ich hier Voltigieren lerne, und jetzt machen wir Behindertensport!«
Conni schnappt nach Luft. »Ja, Behindertensport! Und weißt du, wieso? Weil **du** behindert bist!«, faucht sie und zeigt ihm einen Vogel. »Und zwar da oben!«

»Blöde Zicke«, zischt Moritz. Mehr fällt ihm momentan nicht ein.
»Seid ihr jetzt fertig?«, fragt Herr Behrens streng. »Voltigieren ist ein Gruppensport, falls ihr es noch nicht wisst. Und wer nichts von Zusammenhalt, Vertrauen und Hilfsbereitschaft hält, hat hier nichts zu suchen.« Er schaut zu Moritz hinüber, der schweigend auf seinen Teller starrt.
Frau Behrens nickt. »Dass Celina mitmacht, ist übrigens ein großes Glück. Sie ist ein richtiges Ass im Voltigieren und kann euch Sachen zeigen, die ich schon lange nicht mehr machen kann.« Frau Behrens klatscht in die Hände. »So, jetzt zieht euch mal um und kommt zur Weide.«

Ein Pony namens Ottokar

Gemeinsam holen die Mädchen Karlina von der Koppel. Sie wird geputzt, bandagiert und aufgetrenst. Doch statt eines Sattels bekommt sie eine Decke und einen breiten Voltigiergurt umgelegt.
»Als Erstes müssen wir uns alle aufwärmen«, sagt Frau Behrens. »Auch das Pony.«
Während Herr Behrens Karlina in Schritt und Trab ablongiert, lässt Frau Behrens alle Kinder um den Reitplatz laufen. Vorwärts, rückwärts, seitwärts und im Entengang. Damit auch Celina mitmachen kann, nimmt Conni sie an die Hand.
»Und wann kommen wir aufs Pferd?«, keucht Moritz.
»Wenn eure Muskeln schön warm sind«, meint Frau Behrens und macht gleich die nächste Übung vor.

»So, nun kommt mal mit. Bevor ich euch auf Karlina loslasse, möchte ich euch nämlich noch ihren Kollegen vorstellen. Das liebste und geduldigste Pferd vom ganzen Reiterhof: unseren Ottokar.«

»Ottokar? So ein blöder Name für ein Pferd«, zischt Anna empört.

»Ich finde, der passt«, lacht Celina.

Und das findet Anna auch, als sie Ottokar kurz darauf kennenlernt. »Ach, du bist das«, kichert sie und streichelt dem Holzpferd über seine Bürstenmähne.

»Das Erste, was ihr beim Voltigieren können müsst, ist das Aufsteigen«, sagt Frau Behrens. »Ihr packt die Griffe vom Voltigiergurt, springt hoch und schwingt das rechte Bein über das Pferd!«

Celina macht es den anderen vor. Bei ihr sieht es ganz leicht aus. Ist es aber nicht.

Doch zum Glück gibt Frau Behrens Hilfestellung.

»Nicht einfach auf den Rücken plumpsen lassen«, mahnt sie. »Weich einsitzen!«

Auch das Absteigen üben sie. Und dann den Grundsitz mit weit ausgebreiteten Armen. Auf Ottokar ist das nicht weiter schwer. Doch als Conni später auf Karlina reitet – ohne Sattel und Steigbügel –, ist das schon etwas anderes ...

In den ersten Stunden haben die Kinder bereits allerlei Übungen ausprobiert: im Reiten das Pferd umarmen, rückwärts sitzen, seitwärts sitzen und knien – mit Festhalten natürlich.
Die letzte Übung am Ende der Stunde machen alle am liebsten. Da sollen sich nämlich alle bei Karlina bedanken.
»Fürs erste Mal haben wir das doch ganz gut hinbekommen«, lacht Conni, als sie Karlina auf die Weide führen.

»Stimmt«, nickt Anna. »Aber ob ich den Aufsprung jemals ohne Hilfestellung schaffe? Ich weiß nicht!«
»Bestimmt«, sagt Celina. »Trau dich einfach!«
»Das ist es eben«, murmelt Anna. »Wenn ich vorm Aufspringen neben Karlina herlaufe, habe ich solche Angst, dass sie mir auf die Füße trampelt. Und wir haben doch nur Schläppchen an!«
»Da passiert schon nichts«, lacht Celina.
Anna seufzt.
»Du kannst das ja mit Ottokar üben«, meint Celina. »Ich mach es dir gern noch mal vor, wenn du willst.«
»Au ja!«, ruft Anna. Und auch Conni und Liska üben begeistert mit.

Zwei Prinzen auf der Erbse

Nach dem Abendbrot haben Lars und Moritz Tischdienst. Ein Glück, denn die Mädchen haben noch eine wichtige Mission: Streiche spielen! Letztes Mal hat Lars Conni nämlich ganz schön reingelegt. Und Rache ist Blutwurst!
Als Erstes füllen sie ein Glas voll getrockneter Erbsen mit Wasser, stellen es auf eine leere Keksdose und schieben es ganz nach hinten unter Lars' Bett. Liska schaut überrascht zu. »Und wozu soll das gut sein?«, fragt sie.
»Die Erbsen quellen auf und purzeln eine nach der anderen aus dem Glas. Dann knallen sie – plopp – auf die Dose. Was meinst du, was die Jungs für Augen machen!«
»Ja, das würde ich gerne sehen!«, kichert Liska. Aber das ist noch nicht alles: Conni drückt fast die

halbe Zahnpastatube leer, als sie den Jungs
die Creme unter die Türklinke schmiert. 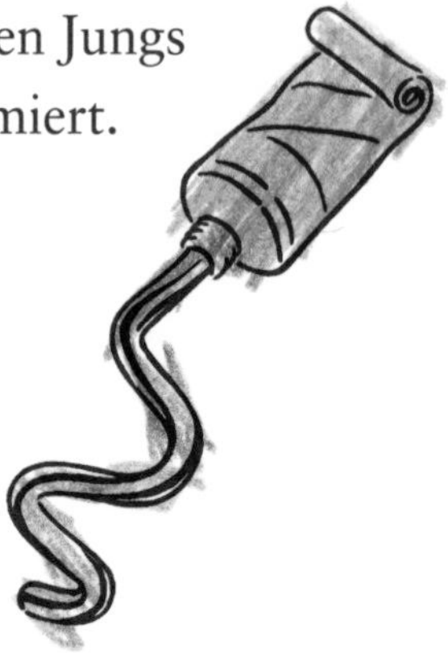
»Los!«, zischt Anna.
»Die kommen bestimmt gleich!«
»Bin ja schon fertig!«
Blitzartig verschwinden die
Mädchen in ihrem Zimmer.
Sie lassen aber die Tür angelehnt,
um durch den Spalt zu linsen.
Schon traben die beiden Jungs die Treppe hoch.
Conni beißt sich auf die Lippen. Wen wird es
wohl erwischen? Eigentlich war der Spaß für Lars
gedacht. Doch wenn es diesen Doofkopf Moritz
erwischt? Umso besser!
»IIIIIH! Was ist das denn?« Angewidert starrt Lars
auf seine vollgeschmierte Zahnpasta-Hand.
Volltreffer! Die Mädchen platzen fast vor Lachen.
Celina kann zwar Lars' Gesicht nicht sehen, aber
sein Schreckensschrei war nicht zu überhören.
Wumms, ist die Zimmertür zu. Keine Sekunde zu
früh!
»Das waren die Mädels!«, schreit Lars und rüttelt
an der Tür.
»Na wartet!«, brüllt er. »Ihr werdet euch noch
wundern!«

»Ihr euch auch«, kichert Conni. Wenn die wüssten, was für eine Zeitbombe unter ihrem Bett tickt!

Die Mädchen warten noch eine Weile, bevor sie sich in den Waschraum trauen. Sicherheitshalber gehen Anna und Conni zuerst, während Liska und Celina das Zimmer bewachen.
Nicht dass die Jungs da noch irgendeinen Blödsinn anstellen.
Leise schleichen Anna und Conni über den Flur. Die Jungs scheinen sich beruhigt zu haben. Alles ist still.
Wie zwei Detektive schauen sich die Mädchen im Waschraum um. Doch es gibt nichts Verdächtiges zu entdecken. »Merkwürdig«, murmelt Conni.
»Vielleicht ist den Jungs ja die Lust vergangen«, meint Anna.

»Vielleicht!«, meint Conni. Doch so ganz glaubt sie nicht daran. Sie packt ihre Zahnbürste aus, dreht den Wasserhahn auf – und springt kreischend zur Seite. Sie ist pitschnass von oben bis unten.
O nein! Lars hat den Wasserhahn abgeklebt, und zwar so, dass nur noch vorne ein schmaler Spalt offen ist. Conni hat eine ordentliche Dusche abbekommen. Mist!
Mühsam pulen Anna und Conni die Klebestreifen von den Wasserhähnen. Richtige Meisterdetektive hätten die wahrscheinlich nicht übersehen. Schnell putzen sie die Zähne und machen Katzenwäsche – ohne weitere Zwischenfälle. Ihr nasses Nachthemd kann Conni allerdings nicht anbehalten. Sie muss in Unterhose und T-Shirt schlafen.

Dieser Lars! Wenigstens wartet auf ihn noch eine kleine Überraschung!
»Wann meint ihr, dass es bei ihnen mit den Erbsen losgeht?«, fragt Conni.
»Na, hoffentlich erst mitten in der Nacht!«, meint Liska und strahlt.

Im Bett gibt es noch viel zu erzählen. Und alle fahren zusammen, als es an der Tür klopft.
Sind das etwa die Jungs?
Doch es ist nur Frau Behrens. »Gute Nacht, alle zusammen«, wünscht sie. »Und jetzt Licht aus!«
»Schade«, brummt Anna. »Ich hab so ein spannendes Ponybuch dabei.«
»Ich auch«, sagt Celina. »Soll ich euch noch was vorlesen?«
»Du?«, fragt Liska verdattert.
»Wer sonst?«, lacht Celina. »Oder kannst du auch im Dunkeln lesen?«
»Nee«, nuschelt Liska.
Conni springt aus dem Bett. »Du liest Blindenschrift, stimmt's?«, fragt sie und knipst das Licht wieder an. »Wie sieht die denn aus?«
»Guck's dir an!« Celina drückt Conni ein dickes, schweres Buch in die Hand.
»Da sind ja nur leere Seiten drin«, staunt Anna.
»Ach was! Seht ihr die Pünktchen nicht?«, fragt Celina.
Natürlich sehen sie die Pünktchen. Aber die sind nicht mit Druckerschwärze aufgedruckt wie Buchstaben, sondern ins Papier eingeprägt, so dass man sie fühlen kann. Vorsichtig streicht Conni darüber.

Fühlt sich das komisch an! Als ob die Seite lauter kleine Pickel hätte.
»Und das kannst du lesen?«, fragt Liska.
»Klar!« Celina fährt mit ihren Fingern die erste Zeile entlang und liest vor.
»Das ist ja toll«, freut sich Anna und knipst das Licht aus. Jetzt kommt sie doch noch zu ihrer Pferdegeschichte!
Gebannt hören Anna, Liska und Conni zu, als im Jungenzimmer plötzlich etwas klackert.
»Die Erbsen!« Conni strahlt.
Im nächsten Moment wird nebenan die Tür aufgerissen und Moritz und Lars stürzen kreischend auf den Flur. Conni schaut aus dem Mädchenzimmer.
»Was ist denn los?«, fragt sie und versucht dabei ganz ernst zu bleiben.
»In unserem Zimmer ...«, stottert Lars. »Da ...«
»Ja?«, fragt Conni gedehnt und muss im selben Moment losprusten.
»Ihr wart das!« Lars' Augen werden zu schmalen Schlitzen.
Blitzschnell knallt Conni die Tür zu und dreht den Schlüssel um. Heute Nacht gehen sie lieber nicht mehr nach draußen!

Vollidiot!

Am nächsten Tag scheint es den Jungs doch ein bisschen peinlich zu sein, dass sie wegen ein paar Erbsen so ein Theater gemacht haben. Zumindest verlieren sie kein Wort mehr darüber.
Liska kann es nicht lassen. »Na, gut geschlafen?«
»Klar, und ihr?«, fragt Lars zurück.
»Ausgezeichnet«, lacht Conni. Und das stimmt ja auch.
Dafür ist nach dem Frühstück auf einmal Celinas Blindenstock verschwunden.
»Wo ist er denn? Ich habe ihn doch hier unter den Tisch gelegt?«, wundert sich Celina.
Conni, Anna und Liska schauen sich um. Der Stock ist nirgends zu entdecken.
»Hast du ihn wirklich mit runtergenommen?«, fragt Anna.

»Klar«, sagt Celina. »Ganz sicher!«
»Dann ist er geklaut«, meint Liska.
Conni kann es kaum fassen. »Wer macht denn so was?«
»Das frag ich mich auch«, murmelt Celina geknickt.
Conni hakt sich bei ihr ein. »Komm, wir gucken mal oben nach!«
»Ja, vor allem im Jungenzimmer«, meint Liska bestimmt.
Resolut klopft sie an. Nur Lars ist da.
»Gib sofort den Stock her!«, fährt ihn Conni an.
»Da hört der Spaß echt auf!«
»Den Stock?«, fragt Lars verdattert. »Welchen Stock denn?«
»Den Blindenstock, du Depp!«, knurrt Liska.
»Den brauch ich echt«, sagt Celina.
»Aber ich hab den nicht!«, beteuert Lars.

»Wirklich nicht?«, fragt Conni.
»Ich schwör's!«
»Dann war das Moritz! Dürfen wir uns mal umgucken?«
»Bitte!« Lars hilft sogar suchen. Sie schauen unter dem Bett und in den Schränken nach. Vom Blindenstock keine Spur.
Erst als sie zu den Ponys gehen, entdecken sie ihn: Er steckt mitten im Misthaufen. Ein alter Lappen flattert als Fahne daran.
»Sehr witzig«, knurrt Conni und holt Celina ihren Blindenstock zurück. »Moritz ist echt ein Idiot!«
»Ein Vollidiot!«, verbessert Liska. »Wo steckt er überhaupt?«, erkundigt sie sich bei Lars.
Doch der zieht nur die Schultern hoch. »Gleich nach dem Frühstück ist er mit seinem Rucksack weg. Keine Ahnung, was der vorhatte.«

Anna wirft einen Blick auf die Weide. »Bei Max ist er jedenfalls nicht.«
Der Fuchs steht wie immer abseits der Herde und grast.
»Max und Moritz sind wohl beide nicht sehr beliebt«, sagt Liska.
Conni nickt. »Nur dass Moritz selbst daran schuld ist!«
Als das Voltigiertraining beginnt, ist Moritz plötzlich wieder da.
Conni baut sich vor ihm auf. »Das war eine ziemliche Mistidee, das mit dem Stock!«
Moritz verzieht keine Miene. »Ganz wie du meinst«, sagt er und damit ist die Sache für ihn erledigt.
»Mach das nicht noch mal!«, ruft Conni ihm nach.
»Was für ein Ekel!«, schnaubt sie.
Doch viel Zeit, wütend zu sein, bleibt Conni nicht. Denn sie ist gleich die Erste beim Training.

Ab in den Misthaufen!

»Am Nachmittag habe ich noch eine Überraschung für euch«, kündigt Frau Behrens nach dem Training an. »Einen Picknick-Ausritt! Na, was sagt ihr?«
Da jubeln alle schon los! Am liebsten wäre Conni natürlich auf ihrem Lieblingspony geritten. Aber Frau Behrens hat Karlina für Celina ausgesucht. Und weil Celina im Gelände alleine nicht reiten kann, hat sie den Schimmel an ihr Pferd gebunden.
»Alleine auszureiten ist so ziemlich das Einzige, was ich nicht machen kann. Und so gerne machen würde!« Celina seufzt. »Einfach so loszureiten, wohin man will!«
Conni weiß nicht, was sie sagen soll.
Aber da lacht Celina schon wieder. »Trotzdem, ein Picknick-Ausritt ist auch so das Allerschönste, was es gibt! Findest du nicht?«

»Ja, das finde ich auch!« Conni steigt auf Bianca auf. Und schon reiten sie los. Zuerst an Weiden und Feldern entlang. Biancas Mähne flattert im Wind. Conni tätschelt ihren Hals. »Wir haben auch viel Spaß zusammen, was?«, lacht sie. Dann geht es weiter durch den Wald.
Auf einer großen Lichtung machen sie schließlich ihr Picknick. Es gibt belegte Brötchen, Saft und Obst. Und für die Ponys, die auf der Wiese weiden, jeweils eine Picknick-Möhre als Dankeschön.
Moritz ist die ganze Zeit auffällig still. Fast so, als gehöre er gar nicht dazu. Und nach dem Ausritt ist

er verschwunden, kaum dass die Ponys abgesattelt und geputzt auf der Weide stehen.
»Wo steckt der denn?«, fragt Anna.
»Er hat sich mal wieder mit seinem Rucksack verzogen«, meint Lars.
»Was ist denn drin im Rucksack?«, will Liska wissen. Lars bläst die Wangen auf. »Pff, wenn ich das wüsste!«

Abends, nachdem Frau Behrens ihre letzte Runde gedreht hat, liest Celina weiter aus ihrem Ponybuch vor. Es ist so spannend, dass an Einschlafen gar nicht zu denken ist. Doch plötzlich stoppt Celina mitten im Satz. »Hört ihr das?«
»Da geht nur jemand aufs Klo«, meint Conni. »Lies weiter!«
»Nee, der geht die Treppen runter«, sagt Celina. In solchen Dingen täuscht sie sich nie.
»Wer denn?«, fragt Liska neugierig.
Als im nächsten Moment die Tür zum Hof quietscht, springt sie ans Fenster. »Das ist Moritz!«, ruft sie. »Was will der denn da unten?« Sie kichert. »Und dann noch im Schlafanzug?«
»Das wollen wir doch mal sehen«, meint Conni. »Kommt ihr mit?«

Was für eine Frage! Natürlich wollen alle mit. Anna schnappt sich ihre Taschenlampe. Celina greift nach ihrem Blindenstock.
»Oder willst du dich bei mir einhaken?«, fragt Conni.
»Ja, danke! Dann geht's schneller.« Celina greift Connis Arm. Leise schleichen sie die Treppe hinunter. Heimlich folgen sie Moritz, der Richtung Weide unterwegs ist. Erst huschen sie an der Hauswand entlang, dann suchen sie Deckung hinter dem Heuwagen. Dass er sie nur nicht entdeckt!

»Was der bloß vorhat, mitten in der Nacht?«, flüstert Celina.
Das möchte Conni auch gern wissen. Seinen Rucksack hat er zumindest nicht dabei.
Moritz läuft immer weiter, Richtung Weide.
»Der geht so komisch«, murmelt Liska.
Conni ist das auch schon aufgefallen. Seine Bewegungen sind merkwürdig langsam und abgehackt. Wie bei einem Roboter. Ein bisschen gespenstisch ist das schon.

Gespannt folgen sie ihm.
Vor dem Weidegatter bleibt Moritz regungslos stehen.

Die Mädchen warten. Nichts tut sich. Moritz steht einfach nur da.
»Kommt«, meint Conni schließlich. »Wir gehen hin und fragen, was los ist!«
Sie sind nur wenige Meter entfernt, da dreht sich Moritz um und kommt auf sie zu.
»Hi, Moritz«, begrüßt ihn Conni.
Moritz brummt nur irgendwas. Typisch. Er bleibt direkt vor Conni stehen. Aber er schaut sie nicht an. Sein starrer Blick geht genau an ihr vorbei. Was ist denn mit dem los?
»Moritz?« Conni wedelt ihm mit den Händen vor dem Gesicht herum.
Moritz verzieht keine Miene. Er zwinkert nicht einmal.
»Wisst ihr was?«, flüstert Anna aufgeregt. »Der schlafwandelt! Ich hab einen Cousin, der macht das auch!«
»Ja, das ist es«, kichert Liska. »Herrlich! Ein Schlafwandler!«
Conni tritt einen Schritt beiseite und schon marschiert Moritz weiter. Immer geradeaus.
»Er läuft direkt zum Misthaufen«, kichert Liska. »Das gibt ein böses Erwachen, wetten?«
»Das können wir doch nicht machen«, sagt Celina.

»Wieso nicht?«, fragt Liska.
»Wir müssen ihm helfen!«, beharrt Celina.
»Ach, was. Es wird Zeit, dass wir dem Blödmann auch mal eins auswischen!«
»Aber nicht, indem wir seine Schwächen ausnutzen«, protestiert Celina. »Das wär doch fies!«
»Genauso fies wie den Blindenstock zu verstecken!«, knurrt Liska.
»Stimmt«, meint Conni. »Aber so was haben wir nicht nötig! Kommt, wir bringen ihn ins Bett, bevor noch ein Unglück passiert!«
»Aber nicht aufwecken, das soll man nicht«, flüstert Anna noch, bevor sie und Conni sich bei Moritz einhaken und ihn sanft Richtung Wohnhaus bugsieren.
Liska kommt mit Celina hinterher.
»Und gerade du setzt dich für ihn ein, wo er doch so gemein zu dir ist«, staunt Liska. »So jemand Netten wie dich gibt es kein zweites Mal!«
»Quatsch mit Soße«, lacht Celina.
Anna und Conni sind schon dabei, Moritz die Treppe hochzubringen. Es geht zum Glück leichter als gedacht. Ganz automatisch hebt Moritz seine Beine und lässt sich ohne weiteres nach oben und in sein Zimmer führen. Dabei schaut er starr geradeaus.

Conni hat so etwas noch nie erlebt – es ist ganz merkwürdig!
Kaum sitzt er auf der Bettkante, legt Moritz sich hin, rollt sich zur Seite und schließt die Augen. Conni und Anna schauen sich an und schaffen es gerade noch in ihr Zimmer, bevor sie vor Lachen losplatzen.
»Und das Schärfste ist: Morgen kann der sich an nichts mehr erinnern!«, prustet Anna.

Anna hat Recht. Als sie Moritz am nächsten Morgen beim Frühstück treffen, ist er ganz wie immer.
»Hallo, Mädels, ich hab von euch geträumt«, hänselt er sie.
»Was? Du auch?«, fragt Lars und wird ein bisschen rot.
»Ja«, grölt Moritz und kann sich vor Lachen kaum halten. »Das war vielleicht ein Albtraum!«
»So ein Blödmann«, zischt Anna. »Wenn der wüsste!«

Ponypech

»Ist es nicht toll hier?«, fragt Conni, als sie nach dem Vormittagstraining Karlina versorgen.
»Ja, wenn nur dieser Stinkstiefel nicht wäre!«, sagt Liska. Sie nickt zur Sattelkammer hinüber, in die Moritz gerade verschwunden ist, um den Voltigiergurt zurückzubringen.
»Ich glaube, so doof ist der gar nicht«, meint Lars.
Conni runzelt die Augenbrauen.
»Doch, echt, ihm geht's bloß gerade nicht gut«, meint Lars. »Gestern vorm Einschlafen haben wir ein bisschen geredet. Seine Eltern sind schon lange geschieden. Er lebt bei seinem Vater, der Tierarzt, ihr wisst schon. Und jetzt hat der 'ne Neue und Moritz ist abgemeldet. Die sind jetzt auch zusammen im Urlaub. Und Moritz haben sie hierher abgeschoben.«

»Abgeschoben?«, fragt Anna, die sich nichts Schöneres als den Ponyhof vorstellen kann. »Na, ich weiß nicht!«
»Auch wenn's hier noch so schön ist«, meint Celina. »Wenn du plötzlich das Gefühl hast, dein Vater will dich loswerden ...«
Conni nickt. »Das stelle ich mir auch nicht gerade toll vor.«
»Trotzdem muss er sich nicht wie ein Idiot benehmen!«, brummt Liska.
»Gestern Abend war er zumindest nett«, meint Lars.
»Achtung, er kommt«, zischt Anna plötzlich.
»Stößt man sich jetzt mit dem rechten oder mit dem linken Fuß ab?«, fragt Liska schnell und etwas lauter als unbedingt nötig.
»Mit beiden gleichzeitig«, antwortet Celina sofort.
»Ihr könnt wohl über gar nichts anderes reden«, meint Moritz verächtlich und geht an ihnen vorbei zum Haus.

Nach leckerem Milchreis mit Kirschen gibt es eine kleine Mittagspause. Während die Jungs mit Herrn Behrens zum Einkaufen fahren, sitzen die Mädchen draußen am Tisch und spielen Karten. Celina hat

nämlich welche mit. Ganz normale Spielkarten mit Blindenschrift-Pünktchen drauf, die sie fühlen kann.
»Mau-Mau!«, ruft sie gerade und hat schon wieder gewonnen.
»Die Karten sind gezinkt – gib's zu!«, ruft Liska.
»Nein, ehrlich«, lacht Celina. »Ich hab heute einfach Glück!«
»Guck mal«, ruft Anna dazwischen. »Das Pony ist ja niedlich!«
»Welches Pony denn?«, fragt Celina.
»Da kommt gerade ein Junge mit einem Schecken«, erklärt Conni. »Es hat eine dunkle Brust und lauter Tupfen auf weißem Fell.«
»Und eine lange zottelige Mähne«, schwärmt Liska.
»Echt süß!«
Frau Behrens, die es sich nicht weit von ihnen im Liegestuhl gemütlich gemacht hat, steht auf. »Hallo, was möchtest du denn hier?«
»Mit Ihnen reden«, antwortet der Junge und grinst verlegen. »Das ist doch Ihr Ponyhof, oder?«
»Ja!« Frau Behrens geht zu ihm hinüber.
Die Mädchen am Tisch spitzen gespannt die Ohren. Doch der Junge spricht einfach zu leise. Vorerst bekommen sie nur Frau Behrens' Antwort mit.
»Das tut mir schrecklich leid«, sagt sie und seufzt.

»So ein Pferd verursacht nur Kosten. Das können wir uns einfach nicht leisten. Mit dem Reiterhof kommen wir gerade so über die Runden.«
Der Junge wird noch blasser, als er sowieso schon ist. »Verstehe«, seufzt er. »Wir können es uns eben auch nicht leisten …« Liebevoll strubbelt er seinem Pony durch die lange Mähne. »Na, dann komm, mein Lieber, wir gehen.«

Frau Behrens blickt dem Jungen lange hinterher. »Armer Kerl«, murmelt sie, als sie schließlich in den Garten zurückkommt.
»Was wollte er denn?«, erkundigt sich Conni.
»Dass wir sein Pony hierbehalten«, sagt Frau Behrens. »Es ist alt und kann kaum noch geritten werden.«
»Und jetzt?«, fragt Conni.
»Muss es wohl zum Schlachthof«, sagt Frau Behrens leise.
»Aber das geht doch nicht!«, ruft Conni entsetzt. »Kann man da nichts machen?«
»Nein!« Frau Behrens schüttelt den Kopf. »Wenn unsere Pferde alt sind, versuchen wir sie irgendwie mit durchzubringen. Aber ein fremdes Pferd – das geht einfach nicht.«
»Wieso behält es der Junge nicht selbst?«, fragt Liska.
»Das geht wohl nicht«, meint Frau Behrens. »Er kommt vom Zirkus, da können sie es wohl auf Dauer nicht mehr mitschleppen.« Sie seufzt.
»Wo ist denn der Zirkus?«, fragt Celina.
»Am anderen Ende von Rittenfelde – auf der großen Wiese hinter der Feuerwehr«, sagt Frau Behrens.

»Dürfen wir mal hin?«, fragt Celina. »Ich war noch nie im Zirkus.«
»Wenn ihr wollt, gerne«, meint Frau Behrens. »Aber ich glaube, heute ist der letzte Tag. Guckt doch mal, an der Straßenecke hängt ein Plakat.«
Sofort laufen die Mädchen die kleine Allee hinunter.
»Tatsächlich, nur noch heute«, meint Conni.
»Dann ab in den Zirkus«, beschließt Celina.
»Glaubst du, das ist was für dich?«, fragt Conni vorsichtig. »Ich meine, das ist ja kein Theaterstück, wo man den Text hören kann. Da gibt's nur Kunststücke zu gucken.«
»Egal«, sagt Celina. »Ich will doch nur dahin, um mit dem Jungen zu reden. Ein Pony zum Metzger bringen, nur weil man's nicht mehr reiten kann. Das geht doch nicht!«
»Stimmt«, nickt Conni. »Da muss man was tun!«
Anna schaut sie groß an. »Und was?«
Conni zuckt mit den Schultern. »Keine Ahnung. Uns wird schon irgendwas einfallen!«

Amadeus

Mit Frau Behrens' Erlaubnis machen sich die Mädchen gleich auf den Weg. Die Nachmittagsvorstellung beginnt in einer halben Stunde. Auf dem Platz vor dem rot gestreiften Zirkuszelt ist schon jede Menge los. Ein Clown jongliert, ein anderer verteilt auf Stelzen Bonbons. Während manche Zuschauer schon ins Zelt gehen, kaufen sich andere noch Popcorn oder Zuckerwatte.

Doch dafür haben Conni, Anna, Liska und Celina keine Zeit. Sie laufen ums Zelt herum und irren zwischen den Wohnwagen umher.

Plötzlich steht ein wahrer Riese vor ihnen. »Was wollt ihr denn hier?«, dröhnt er. »Ihr habt hier nichts zu suchen.«

»Wir wollen zu dem Jungen mit dem Pony«, sagt Conni schnell.

Der Mann runzelt die struppigen Augenbrauen. »Jetzt vor der Vorstellung? Na, gut! Valentino!«, brüllt er. »Komm doch mal!«
Eine Wohnwagentür klappt auf und der Junge kommt heraus. Er hat bereits sein Trikot für die Vorstellung an. »Ja, was ist denn?«
Der Riese nickt zu den Mädchen hinüber. »Die wollen was von dir«, meint er und verschwindet in Richtung Zelt.
»Hallo«, sagt Conni und stellt sich kurz vor. »Du warst doch vorhin mit deinem Pony auf dem Reiterhof?«

»Ja, ich wollte fragen, ob sie mein Pony behalten können. Aber die können sich so ein Tier ebenso wenig leisten wie wir.«
»Was ist denn mit deinem Pony?«
»Nichts. Amadeus ist einfach alt. Morgens das Training und dann noch nachmittags und abends Aufführungen, das ist einfach zu viel für ihn. Und so einen richtigen Reiterhofbetrieb packt er auch nicht mehr. Eine Stunde täglich wäre optimal. Aber mehr?« Der Junge zuckt mit den Schultern. »Ein echter Opa arbeitet ja auch nicht mehr Vollzeit.«
»Und jetzt soll er zum Metzger?«
»Ja«, seine Stimme klingt auf einmal ganz heiser. »Morgen in aller Frühe fahren wir zu unserer nächsten Station. Und in der Stadt gibt es einen Pferdemetzger. Wir haben schon einen Termin.«
»Das ist ja schrecklich!«, ruft Anna.
Valentino zieht die Schultern hoch. »Was sollen wir machen? Unser Zirkus kann sich gerade so über Wasser halten. Die Tiere, die wir haben, müssen sich ihr Futter in der Manege verdienen, sonst können wir sie nicht behalten.«
»Klingt ganz schön hart«, sagt Celina.
»Ist es auch. Aber wenn man ständig kurz vor der Pleite steht, hilft alles nichts.« Der Junge seufzt.

»Vom Metzger kriegen wir sogar noch Geld. Und trotzdem war der Direktor einverstanden, dass ich Amadeus verschenken kann, wenn ich ein gutes Zuhause für ihn finde.«

»Und?«

»Nichts! Keiner will so ein altes Pony. Alle haben Angst vor den Tierarztkosten. Dabei ist es das liebste Pony der Welt. Wollt ihr es mal sehen?«

»Klar wollen wir«, sagt Anna sofort.

Amadeus steht auf der Weide, zwei Ziegen sind dabei.

»Der ist wirklich süß«, seufzt Conni. Bis auf Brust und Ohren ist Amadeus ganz weiß mit lauter kleinen, dunklen Tupfen. Einer davon sitzt mitten über dem linken Auge.

Kaum tritt Valentino an den Zaun, kommt das Pony angetrabt und reibt den Kopf an seiner Schulter.

»Hallo, Amadeus«, begrüßt ihn Conni sanft und streichelt über seine weiche Nase.

»Warum heißt er eigentlich Amadeus?«, will Anna wissen.

»Weil er Mozart liebt«, antwortet Valentino lachend. »Wartet mal!« Und schon ist er verschwunden.

Wenn ihr wissen wollt, wer Mozart ist, schaut nach unter www.Conni-Club.de

Amadeus schnuppert solange neugierig an Connis T-Shirt.
»Na, rieche ich gut?«, fragt sie lachend.
»Anscheinend ja!«, kichert Anna. Denn Amadeus fängt an an Connis T-Shirt herumzuzupfen.
»He, aufhören! Das kitzelt«, kichert Conni.
Amadeus hört tatsächlich auf und stupst sie mit seiner weichen Schnauze sanft gegen die Wange. Als wolle er sagen: War doch nur ein kleiner Scherz von mir!
»Hast du weiches Fell!« Celina krault Amadeus am Hals.
»Wir müssen ihn unbedingt retten!«, stößt Anna hervor. Sie hat Tränen in den Augen.

Aber wie sollen sie ihn retten? Conni weiß es nicht. Stumm legt sie den Arm um Anna.
»Passt mal auf!« Valentino ist wieder da. Er hat einen tragbaren CD-Player dabei. Schon drückt er auf einen der Knöpfe und es erklingt ein schwungvolles Mozart-Menuett.
Amadeus spitzt die Ohren, schnaubt ausgelassen und beginnt zu tanzen.
Conni ist wie gebannt. Sie hat noch nie ein Pferd tanzen sehen. Amadeus wiegt nicht nur seinen

Kopf im Takt der Musik. Seine zierlichen Hufe tänzeln über den Boden, nach rechts, nach links und dann im Kreis herum.
»Und der soll morgen zum Metzger?«, stammelt Liska.
Amadeus legt die Ohren an. Als ob er es verstanden hätte.
»Wisst ihr was«, meint Conni. »Wie wäre es, wenn wir Amadeus einfach mitnehmen und noch einmal mit den Behrens reden?«
Celina greift Valentinos Hand. »Können wir das nicht so machen: Du sagst dem Direktor, dass du doch noch einen Platz für das Pony gefunden hast. Und wir holen Amadeus heute Nacht heimlich auf den Ponyhof.«
»Heimlich? Das hat doch keinen Sinn!« Liska seufzt. »Auf Dauer können wir Amadeus eh nicht verstecken. Irgendwann merken es die Behrens sowieso.«
»Aber erst, wenn der Zirkus schon weg ist. Dann ist es zu spät, Amadeus zurückzubringen«, erklärt Celina gut gelaunt. »Dann müssen die Behrens selbst beim Metzger anrufen. Und das bringen die gar nicht übers Herz. Da bin ich mir sicher!«
»Celina, du bist einfach toll!«, lacht Conni.

Auch Valentino ist begeistert. »Das ist genial! Ich geh gleich zum Direktor!« Und schon läuft er los.
Nur Anna traut dem Ganzen nicht. »Und was, wenn die Behrens Amadeus trotz allem nicht behalten können?«
»Dann fällt uns bestimmt noch was anderes ein«, erklärt Conni. »Hauptsache, wir retten ihn erst einmal vorm Metzger!«
Da kommt Valentino bereits zurück. »Die Sache geht klar. Ihr könnt heute Nacht kommen, wann ihr wollt. Nach der Abendvorstellung bauen wir das Zelt ab. Da sind wir bis nach Mitternacht auf den Beinen. Im Übrigen hab ich noch etwas für euch!« Er wedelt mit vier Freikarten. »Die sind vom Direktor. Der freut sich nämlich auch, wenn Amadeus noch ein paar schöne Jahre auf der Pferdekoppel verbringt!«
Die Mädchen schauen sich an. Na, hoffentlich klappt ihr Plan auch!
»Was ist? Wollt ihr?«
»Klar, danke!« Conni nimmt die Karten.
»Machst du auch mit?«, fragt Liska.
»Was denkst du denn?«, lacht Valentino. »Natürlich!«
Anna, Conni, Liska und Celina laufen zum Zelt-

eingang. Ein Clown mit roter Nase bringt sie zu ihren Plätzen. Es sind Ehrenplätze ganz vorne. Die Rettung von Amadeus scheint dem Direktor wirklich am Herzen zu liegen.

Celina schnuppert. »So ist das also im Zirkus! Duftet wie eine Mischung aus Reitstall, Popcorn und … und Zirkus eben«, meint sie und lacht.
Schon gibt es einen Tusch und der Direktor tritt auf: »Meine sehr verehrten Damen und Herren, liebe Kinder. Wir wünschen euch eine unvergessliche Zeit in unserem Zirkus Miracolino!«
Gleich bei einer der ersten Nummern macht Valentino mit. Als einer von sieben Akrobaten. Sie schla-

gen Rad und springen Saltos. Höhepunkt ist eine Pyramide, auf deren Spitze Valentino stehen soll. »Gleich wird er mit einer Wippe ganz nach oben geschleudert«, raunt Conni Celina zu. »Jetzt!« Conni hält den Atem an, als einer der Akrobaten von einer Leiter aus aufs andere Ende der Wippe springt. Valentino fliegt empor und landet nach einem Salto ganz oben.
»Geschafft«, jubelt Conni. Unglaublich! Begeistert klatschen die Mädchen in die Hände.
»Sie fressen gerade die Blumen vom Hut und jetzt packen sie ihn an der Hose ...«, stößt Conni atemlos hervor. Als die Clowns mit den beiden Ziegen auftreten, kann sie Celina gar nicht so schnell alles erzählen. Aber Celina reicht es. Und sie lacht genauso schallend wie Anna, Conni und Liska.
Das Schönste ist aber, als sich ganz am Schluss das Zirkuszelt mit riesigen schillernden Seifenblasen füllt.
Verzaubert laufen die Mädchen zum Ponyhof zurück – fest entschlossen, heute Nacht ein Ponyleben zu retten!

Wer anderen eine Grube gräbt ...

Als Frau Behrens abends ihre letzte Runde dreht, liegen Conni, Anna, Liska und Celina brav in ihren Betten. Verdächtig brav, doch Frau Behrens merkt zum Glück nichts. »Gute Nacht und träumt was Süßes!«, sagt sie und knipst das Licht aus. Wenn die wüsste!

Die Mädchen warten noch eine Weile, bis Frau Behrens oben im zweiten Stock verschwunden ist. »Nicht einschlafen!«, flüstert Liska. Die anderen kichern. Dazu sind sie doch viel zu aufgeregt! Wie gut, dass Celina ihnen zur Ablenkung noch etwas vorliest. Obwohl das Ponybuch schrecklich spannend ist, sind die Mädchen nicht ganz bei der Sache. Denn was sie heute vorhaben, ist mindestens genauso aufregend. Und vor allem echt – und nicht bloß von irgendjemandem ausgedacht!

»Wie spät ist es?«, wispert Anna.
Celina tastet nach ihrer Blindenuhr. »Kurz nach halb elf.«
Conni lauscht an der Tür. »Scheint alles ruhig zu sein. Los!«
Im Dunkeln tauschen sie ihre Schlafanzüge und Nachthemden gegen Jeans und Pullis. Dabei versuchen sie so leise zu sein, wie es geht.
Gerade will Conni die Tür aufmachen, da fährt sie zusammen. Direkt vor ihrem Zimmer ist plötzlich ein Heidenkrach! Entsetzt schauen sich die Mädchen an. Was war das denn? Vorsichtig linst Conni durch den Türspalt. Das darf ja wohl nicht wahr sein: Mitten auf dem Flur liegt Moritz!
»Was macht der denn da?«, flüstert Liska.
»Auuu!«, stöhnt Moritz und blinzelt die Mädchen erschrocken an. »Was ist denn passiert?«, murmelt er verschlafen.
Also das möchten die Mädchen auch gerne wissen: Besen, Wischmopp, Eimer und Papierkörbe liegen kreuz und quer auf dem Boden.
»Würde mich nicht wundern, wenn hier jemand eine Stolperfalle gebaut hat«, schließt Liska messerscharf.
»Warst du das?«, faucht Anna.

»Äh, na ja«, stammelt Moritz.
»Was soll das heißen: na ja?«
»War doch nur ein Spaß. Ich dachte, wenn ihr mal nachts aufs Klo müsst …«
»Spaß? Mir extra was in den Weg zu stellen!«, schimpft Celina.
»Weißt du eigentlich, dass du schlafwandelst?«, fragt Anna.
»Ich? Immer noch?« Moritz beißt sich auf die Lippen. »Ich dachte, das wäre vorbei«, murmelt er zerknirscht.
»Da bist du schön in deine eigene Falle getappt«, lacht Liska.
In dem Moment knarrt es auf der Treppe. »Was ist denn da los?«, hören sie die Stimme von Herrn Behrens.
Blitzschnell verschwinden die Mädchen in ihrem Zimmer, springen in die Betten und ziehen sich die

Decken bis zum Kinn. Wenn Herr Behrens sie jetzt in voller Montur erwischt, können sie ihre Rettungsaktion für Amadeus vergessen!
»Immer diese Streiche«, brummt Herr Behrens vor ihrer Tür. »Räum das zur Seite, damit nicht noch jemand darüber fällt. Und dann marsch ins Bett!«
Sie hören Moritz noch kurz mit dem Eimer klappern, dann wird es still auf dem Flur.
»Der blöde Kerl bringt noch unseren ganzen schönen Plan durcheinander!«, schnaubt Liska.
»Meint ihr, ihm ist was aufgefallen?«, überlegt Anna.
»Was denn?«, fragt Liska.
»Na, dass wir angezogen waren.«
»Mist! Stimmt ja«, zischt Celina.
»Ach, ich glaub nicht«, meint Conni, »so verschlafen, wie der war!«
»Stimmt, der war voll daneben«, stimmt Liska zu.
»Und was soll der schon machen? Aufhalten lassen wir uns auf gar keinen Fall!«
Die Mädchen warten noch eine Weile, bis sie sicher sind, dass Moritz und Herr Behrens wieder eingeschlafen sind.
Leise schleichen sie sich aus dem Zimmer, balancieren auf Zehenspitzen die knarzende Treppe hinunter, entriegeln die Haustür und schleichen hinaus.

»Wie gut, dass die hier keine Alarmanlage haben«, flüstert Anna. Im selben Moment bellt Hasso los, der Hund vom Nachbarhof.
»Los, schnell weg!«, zischt Conni. Sie nimmt Celina am Arm und läuft mit ihr zur Hofeinfahrt hinaus. Anna und Liska rennen hinterher.
Hasso bellt noch eine Weile. Doch dann gibt er schließlich auf.
Die Mädchen biegen auf den Weg neben der Landstraße ein. Straßenlaternen gibt es hier nicht. Es ist stockdunkel. Conni leuchtet mit der Taschenlampe. Doch damit können sie gerade mal ein paar Schritte weit sehen. Conni schluckt. So ins Dunkle hineinzulaufen ist ganz schön unheimlich. Anna klammert sich ängstlich an ihrer Hand fest. Nur Celina macht das Dunkle nichts aus. Für sie ist das ja ganz normal.
»Hoffentlich verlaufen wir uns nicht«, murmelt Liska.

»Verlaufen? Wir müssen doch immer nur den Weg entlang«, meint Celina. Mit ihrem Blindenstock übernimmt sie die Führung. Und die drei anderen sind richtig froh, dass sie sie dabeihaben!

Von weitem sehen sie schon den Zirkus. Riesige Scheinwerfer machen dort die Nacht zum Tag. Conni atmet erleichtert auf. So ist es viel angenehmer, als im Dunklen herumzutappen.
Geschäftig sind die Zirkusleute dabei, das Zelt leer zu räumen. Die Tribünen werden auseinandergeschraubt und verladen. Dabei sitzt jeder Handgriff. Als wäre auch der Abbau eine ihrer Zirkusnummern.
Valentino erwartet sie schon. »Da seid ihr ja!«, ruft er. »Ich bin ja so froh, dass ihr euch um Amadeus kümmert!«
Gemeinsam gehen sie zur abgezäunten Weide. Valentino schnalzt mit der Zunge und Amadeus' trabt sofort zum Zaun.
»Na, mein Lieber!« Valentino zottelt liebevoll die zerzauste Ponymähne. »Jetzt müssen wir wohl Abschied nehmen!«
Er seufzt und vergräbt seinen Kopf in Amadeus' strubbligem Fell. »Ich werde dich nie vergessen!«

Conni hat einen Kloß im Hals. Sie hat zwar kein Pferd. Aber die bloße Vorstellung, sie müsse sich von Kater Mau trennen: Schrecklich! Nicht auszudenken!
Was könnte sie sagen, um Valentino zu trösten? Ihr fällt nichts ein. Stumm legt sie einen Arm um seine Schulter.
»He, Valentino, die Arbeit tut sich nicht von selbst!«, ruft ihm jemand zu.
Schnell wischt sich Valentino mit dem Ärmel über die Augen. »Und ich vergesse auch nicht, was ihr für Amadeus tut.«
»Wir versuchen unser Bestes«, verspricht Conni.
»Danke!« Valentino lächelt zaghaft. »Schreibt ihr mir, wenn ihr wisst, was mit Amadeus ist?«
Er zieht einen Zettel mit Adressen aus der Hosentasche.

»Klar machen wir das!« Sorgsam steckt Conni den Zettel ein.
»Danke!«, sagt Valentino noch einmal und schüttelt zum Abschied allen die Hand.
Dann öffnet er das Gatter, legt Amadeus den Führstrick an und bringt ihn zu den Mädchen.
»Mach's gut, mein Alter!«, flüstert er heiser und klopft ihm ein letztes Mal den Rücken.
Amadeus schaut sich verwundert zu Valentino um, als die Mädchen ihn vom Platz führen.
»Leb wohl, Amadeus!«, ruft Valentino ihm zu.
Und das Pony wiehert zurück.

Im Schein der Taschenlampe laufen die Mädchen zum Ponyhof. Jetzt, wo sie das Pony dabeihaben, macht Conni die Dunkelheit nicht mehr so viel aus. Amadeus allerdings wird immer unruhiger, je weiter sie sich vom Zirkus entfernen. Ständig schaut er sich um. Vielleicht in der Hoffnung, dass Valentino doch

noch hinterherkommt? Armer Amadeus! Conni fährt mit der Hand über das weiche Fell. »Ganz ruhig!«, sagt sie. »Wir bringen dich in Sicherheit!«
Als sie in die Einfahrt des Ponyhofs einbiegen, ist alles ganz still.
»Hoffentlich hält Hasso seine verflixte Schnauze«, murmelt Liska gerade, als Celina etwas hört.
»Psst!« Augenblicklich bleiben alle stehen und lauschen. Nur Amadeus schnaubt leise.
»Da ist jemand!« Celina zeigt auf einen Busch am Wegrand. Conni leuchtet mit der Taschenlampe. Sie hat – genau wie Anna und Liska – nichts gehört. Und zu sehen ist dort auch nichts.
»Ich guck mal nach«, flüstert sie. Ganz leise schleicht Conni zum Busch hinüber. Und plötzlich hört auch sie ein Rascheln.
»Was machst du denn hier?«, zischt Conni.
»Ich ... ich wollte wissen, was ihr vorhabt«, stammelt Moritz und kämpft sich zwischen den Zweigen hervor.

»Warum sollten wir was vorhaben?«, fragt Conni.
»Ihr wart vorhin alle angezogen, als ich ... äh, meinen, äh, Unfall hatte«, erklärt Moritz. »Da wusste ich, dass ihr noch mal weggeht.«
So ein Mist! Und sie hatte gedacht, er merkt nichts.
»Was ist das für ein Pony?«
»Das geht dich überhaupt nichts an«, faucht Conni.
»Es ist in Schwierigkeiten, oder?«, fragt Moritz.
Moritz lässt nicht locker. »Ist es krank?«, fragt er und geht Richtung Pony.
»He!« Conni hält ihn am T-Shirt fest.
Und Liska versperrt ihm den Weg. »Mach, dass du ins Bett kommst! Und wehe, du sagst was!«
Mit einer schnellen Drehung reißt sich Moritz los.
»Okay, zugegeben: Ich war voll eklig zu euch. Aber wenn ihr nichts verratet wegen des Schlafwandelns, dann verrate ich auch das Pony nicht.«
»Das glaube ich ihm sogar«, lenkt Anna ein.
»Na gut.« Liska tritt einen Schritt zur Seite, so dass Moritz zu Amadeus kann.

»Das Pony ist vom Zirkus. Es ist schon alt und die können es dort nicht behalten«, verrät Celina.
»In der nächsten Stadt hätten sie es …«, Anna tritt ganz nah an Moritz heran, »zum Pferdemetzger gebracht«, raunt sie ihm zu. So leise, dass Amadeus es garantiert nicht hören kann.
»Was?«, fragt Moritz entsetzt. »Ist das wahr?«
Die Mädchen nicken.
»Der Ponyhof will das Pony auch nicht nehmen«, sagt Celina. »Sie haben nicht genug Geld, um es durchzufüttern, sagen sie.«
»Ihr bringt es einfach her, obwohl die Behrens es gar nicht haben wollen?«, fragt Moritz verblüfft.
Die Mädchen nicken. »Irgendetwas mussten wir doch machen!«
»Wir hoffen, dass es vielleicht doch bleiben darf«, meint Anna. »Wo es schon mal hier ist.«
»Wow!«, staunt Moritz. »Also, das hätte ich euch echt nicht zugetraut! Und jetzt?«
»Stellen wir ihn auf die Weide«, meint Conni.
»Am besten nehmen wir die Weide ganz hinten. Dann merken es die Behrens nicht sofort!« Moritz scheint wild entschlossen ihnen zu helfen.
Die Mädchen gucken sich an. Moritz' Vorschlag ist gut: Die Weide liegt versteckt hinter der Reit-

halle und ist weder vom Hof noch von den Ställen aus zu sehen.
»In Ordnung«, sagt Liska.
Anna streichelt Amadeus die weiche Nase. »Der Arme ist hier völlig fremd und muss ganz allein auf der Weide stehen.«
»Dann stellen wir Max einfach dazu«, schlägt Moritz vor.
»Wirklich?«, fragt Anna.
»Klar«, meint Moritz. Und während die Mädchen Amadeus zur Weide führen, holt er sein Pony aus dem Stall.
Es ist schon nach ein Uhr, als sie auf Zehenspitzen zu ihren Zimmern hochschleichen. Die Mädchen schlüpfen in ihre Schlafanzüge und fallen ins Bett.
»Vielleicht ist Moritz ja doch ganz in Ordnung«, meint Conni.
»Ich glaub auch«, meint Celina. »Harte Schale, weicher Kern!«
Die Mädchen kichern. Und dann wird es endlich still auf dem Ponyhof.

Conni, Anna, Liska und Celina schlafen noch, als heftig an die Tür geklopft wird. Frau Behrens steckt den Kopf ins Zimmer. »Zieht euch an und

kommt sofort nach unten!« Sie klingt nicht gerade freundlich.
Was ist denn los? Conni reibt sich die Augen und blinzelt zum Wecker hinüber. Es ist schon fast neun!
Mit einem Ruck setzt sich Celina auf. »Sie haben bestimmt Amadeus entdeckt!«
Und so ist es auch. Als die vier Mädchen die Treppe hinunterkommen, erwarten die Behrens sie schon.
»Habt ihr das Pony hierhergebracht?«, fragt Herr Behrens streng.
»Ja!« Conni nickt.
»Was habt ihr euch bloß dabei gedacht?«, ruft Frau Behrens.
»In der nächsten Stadt bringen die Amadeus zum Metzger!«, ruft Anna wild.
»Wir haben gehofft, dass sich noch eine andere Lösung findet«, sagt Celina.
»Was denn für eine? Wir können das Pony jedenfalls nicht behalten«, schimpft Herr Behrens. »Ihr bringt das Tier sofort zurück!«
»Das geht nicht«, erklärt Conni. »Der Zirkus ist schon abgereist!«
»Das wollen wir doch erst einmal sehen!« Herr Behrens stiefelt nach draußen in den Hof. Im

nächsten Moment hören sie einen Automotor anspringen.
»Hoffentlich sind sie wirklich schon weg«, wispert Anna.
Conni schluckt. »Hoffentlich!«
Frau Behrens seufzt. Ganz wohl scheint sie sich in ihrer Haut auch nicht zu fühlen. »Jetzt frühstückt erst einmal«, sagt sie.
Im Esszimmer sitzen Lars und Moritz.
»Ich hab nichts verraten. Ehrlich!«, platzt Moritz los. »Sie müssen es selbst gemerkt haben!«
Conni nickt. »Wahrscheinlich haben sie Max gesucht.«
»Na klar!« Moritz schlägt sich gegen die Stirn.
»Daran hab ich gar nicht gedacht.«
»Wir doch auch nicht«, murmelt Liska.
Keiner von ihnen hat rechten Appetit. Außer Lars, der schon beim zweiten Brötchen ist. »Was ist denn überhaupt los?«, will er wissen.
»Und da habt ihr mich nicht mitgenommen?«, fragt er beleidigt, als die Mädchen alles erzählt haben.
Doch bevor er sich richtig aufregen kann, hören sie den Wagen wieder auf den Hof rollen.
»Er kommt zurück«, flüstert Conni und drückt beide Daumen. Hoffentlich ist der Zirkus schon abgereist! Hoffentlich!

Die Tür wird aufgerissen. »Weg! Tatsächlich, alle weg«, stößt Herr Behrens hervor.
»Ach du meine Güte!« Frau Behrens lässt die Hände sinken. »Was machen wir denn jetzt?«
»Kann Amadeus nicht bleiben?«, versucht es Conni noch einmal.
»Ich übernehm auch seine Pflege!«, sagt Moritz.
»Ach, wenn's nur die Arbeit wäre«, Frau Behrens seufzt. »So ein Pony zu halten kostet Geld!«
»Aber es muss doch nur auf der Weide stehen!«, ruft Anna.
»So einfach ist das nicht. Ein altes Pony braucht Zusatzfutter. Wir müssen den Hufschmied bezahlen und an die Tierarztkosten will ich gar nicht erst denken«, meint Frau Behrens.
»Ich könnte ja mit Papa reden«, schlägt Moritz vor.
Herr Behrens schüttelt den Kopf. »Was will der schon mit einem alten Pony?«
»Aber es kann auch nicht sein, dass so ein nettes Pony wie Amadeus zum Schlachter muss!«, sagt Conni leise. Plötzlich hat sie eine Idee. »Und wenn wir Geld für ihn sammeln?«
»Wie denn?«, fragt Herr Behrens.
»Wir ... wir ...«, stammelt Conni.
»Wir machen am Abholtag eine kleine Aufführung

und alle müssen Eintritt zahlen«, kommt ihr Celina zur Hilfe.
»Das wird nicht lange reichen«, meint Herr Behrens.
»Aber für eine Übergangszeit. Bis wir eine andere Lösung gefunden haben!«, bettelt Conni.
Frau Behrens ist einverstanden. »Das mit der Aufführung können wir ja auf jeden Fall ins Auge fassen«, meint sie. »Aber dann müsst ihr euch auch ranhalten, damit wir wirklich etwas Ordentliches auf die Beine stellen.«
»Das machen wir!«, rufen alle sofort.
Und wirklich: Beim Voltigier-Training sind alle so konzentriert wie noch nie.
»Wir werden mal ein paar Figuren zu zweit probieren«, schlägt Frau Behrens vor. »Das ist nicht schwerer und macht für die Aufführung mehr her.«
Conni und Anna sind gleich als Erste dran. Hintereinander springen sie auf Karlinas Rücken.
»Prima«, lobt Frau Behrens. »So, und jetzt kniet sich Anna hin und du, Conni, hältst dich an ihren Schultern fest und stellst dich hinter sie.«
Hinstellen? Conni wird ganz flau. Ängstlich krallt sie sich an Anna fest.
»He, du schubst mich gleich runter«, beschwert sich Anna.

»Ihr kriegt das schon hin. Denkt an die Aufführung. Wenn ihr Eintritt nehmt, müsst ihr schon was bieten«, sagt Frau Behrens.
Conni nimmt all ihren Mut zusammen, ihre Beine wackeln wie Wackelpudding. Doch sie steht!
»Na also! Nicht schlecht für den Anfang!«, lobt Frau Behrens. »Schön nach vorne gucken und lächeln!«
Lächeln? Danach ist Conni erst zu Mute, als sie wieder sicher auf dem Ponyrücken sitzt.
Uff, geschafft!

Ponyfreunde

Als sie Karlina nach dem Training zur Weide bringen, bleibt Anna aufgeregt stehen. »Schaut euch das an!«, ruft sie.
»Was denn?«, fragt Celina neugierig.
»Max und Amadeus. Ich glaube, die beiden sind Freunde geworden!«
»Tatsächlich!« Conni strahlt. Die beiden Ponys weiden dicht an dicht. »Los, das müssen wir Moritz zeigen!«

»Ist ja toll!« Glücklich lehnt Moritz am Zaun. »Und ich dachte schon, ich muss für Max einen anderen Einstellplatz suchen.«
Die beiden Ponys beknabbern abwechselnd ihre Mähne. Frau Behrens bleibt gerührt am Gatter stehen. »Na, schau sich das einer an!«

»Ich glaube, Amadeus muss einfach hierbleiben«, sagt Conni und grinst.
»Wenn das nur alles so einfach wäre …« Frau Behrens hebt die Hände und läuft zum Haus hinüber.
Moritz dreht sich zu Celina. »Wollen wir uns nicht auch vertragen?«, fragt er zaghaft. »Es tut mir wirklich leid – ich war ein Idiot!«
»Das kann man wohl sagen«, ruft Liska dazwischen.
Doch Celina winkt ab. »Ist schon vergessen«, lacht sie.
»Puh!« Moritz strahlt. »Da bin ich aber echt froh!«

Als sie schließlich beim Abendbrot sitzen, hat Conni plötzlich noch eine Idee. »Wie wär's, wenn wir nicht nur eine Voltigier-Vorführung machen, sondern eine Art Zirkus?«
»Au ja, ein Zirkus! Ein Ponyzirkus!«, ruft Liska.
Auch die anderen sind begeistert.
»Ich kann ein bisschen zaubern«, ruft Lars sofort.
»Und ich hab ein Diabolo dabei«, meint Moritz.
»Diabolo, was ist denn das?«, will Celina wissen.
»Das ist so eine Art Kreisel, mit dem man jonglieren kann«, erklärt Moritz.
»Wow! Und das kannst du?«, fragt Lars. »Zeig doch mal!«

Nach dem Essen holt Moritz seinen Rucksack und kramt das Diabolo heraus.
»Damit warst du also immer unterwegs«, sagt Lars.
Moritz nickt. »Ja, ich übe, so oft ich kann!«
Und das merkt man. Denn was Moritz mit seinem Diabolo anstellt, ist wirklich zirkusreif!

»Super! Und was machen wir noch?«, fragt Liska.
»Ich fand im Zirkus die Riesenseifenblasen so toll!«, schwärmt Anna.
»Da brauchen wir nur einen Stock und eine Schnur«, meint Conni.

»Und Seifenlauge«, ergänzt Frau Behrens. »Ich kenne auch ein Rezept dafür!«
»Dann haben wir ja schon das ganze Programm zusammen«, ruft Liska begeistert.
»Nur eins fehlt noch«, meint Conni. »Ganz am Schluss tritt Amadeus auf und tanzt!«
»Tanzt?«, fragt Frau Behrens verdutzt. »Ich hab ja schon einiges gesehen, aber ein tanzendes Pony? – Noch nie!«

Noch am selben Abend malen sie Plakate für ihre Aufführung. Wunderschöne bunte Zirkusplakate, die sie gleich am nächsten Tag im ganzen Ort aufhängen.
Dann heißt es nur noch üben, üben, üben.
Am Freitag stehen die Nummern endlich.
»Wir brauchen noch eine Generalprobe«, schlägt Frau Behrens vor. »Damit morgen auch alles klappt!«
»Und einer muss die Nummern ansagen«, sagt Herr Behrens.

»Au ja, ich bin der Zirkusdirektor!«, ruft Lars sofort. »Einverstanden, Moritz?«
Moritz nickt.
»Wer sagt denn, dass es keine Direktorin ist, hä?«, fragt Liska. »Ich bin für Conni!«
»Für mich?«, fragt Conni verdattert.
»Ja klar!«, ruft Anna. »Schließlich war das deine Idee mit dem Zirkus! Einverstanden, Jungs?«
»Aber nur, weil es Conni ist«, brummt Lars.
Herr Behrens hat sogar einen Zylinder. Conni ist der viel zu groß, doch das stört sie nicht.
»Liebe Kinder, meine sehr verehrten Damen und Herren«, probt sie schon mal. »Ich begrüße Sie herzlich in unserem Ponyzirkus Amadeus!«

Genau mit diesen Worten begrüßt Conni am Samstagnachmittag das Publikum auch zur echten Vorführung. Dank der Plakate sind außer den Eltern auch einige Rittenfeldener Familien gekommen. Gespannt stehen sie draußen um den Reitplatz herum, der heute Zirkusmanege ist. Auch Mama, Papa und Jakob sind da. Sie stehen ganz vorne am Zaun. Jakob winkt Conni gleich zu. Conni winkt heimlich zurück. Sie ist ganz schön aufgeregt. Mit so vielen hat sie nun wirklich nicht gerechnet.

»Je mehr, desto besser für Amadeus!«, denkt sie und ruft: »Wir starten gleich mit unserer berühmten Ponynummer. Viel Vergnügen!«
Es gibt Applaus, während Karlina in die Manege geführt wird. Und dann wird es ernst. Conni hat ihren Zylinder abgesetzt. Denn selbst die Zirkusdirektorin muss jetzt zeigen, was sie kann.
Im fliegenden Wechsel springen die Kinder aufs Pony und präsentieren, was sie in den letzten Tagen einstudiert haben: freihändig sitzen und knien, die Mühle, bei der sich die Kinder einmal auf dem Ponyrücken drehen, und den eleganten Prinzensitz.
Kaum auf dem Pferderücken, hat Conni das Publikum schon vergessen. Eins mit Karlinas Rhythmus, macht sie ihre Übung. Dabei immer schön nach vorne gucken und lächeln nicht vergessen! Jetzt noch den Absprung – geschafft!
Atemlos kündigt Conni nun Lars' Zaubershow an. Mit großer Geste überreicht sie Lars ihren Zylinder, aus dem der große Zauberer kurz darauf Unmengen bunter Tücher zieht. Beim nächsten Trick lässt er einen Apfel verschwinden.
»Ich werde den Apfel jetzt wieder hervorzaubern«, verkündet er. »Abrakadabra Apfolinus …«

Irgendwie hat Anna wohl eine Sekunde nicht aufgepasst. Mit einem Ruck reißt sich Karlina los und trabt in die Manege.
»Nein, nicht! Karlina, komm zurück!«, schreit Anna entsetzt. Doch zu spät: Zielsicher zieht das Pony den weggezauberten Apfel aus Lars' Manteltasche und frisst ihn genüsslich auf!
Lars wird kreideweiß. Doch als das Publikum diese überraschende Einlage mit Gelächter und begeistertem Applaus belohnt, verbeugt sich der Zauberer schnell. Ganz so, als sei diese Nummer genauso einstudiert.

Nun folgt die nächste Voltigiervorführung, diesmal in Zweierteams. Conni ist ganz schlecht vor Aufregung, denn nun kommt ihre berühmt-berüchtigte Standnummer – und zwar im Galopp.
Nacheinander springen Anna und Conni auf Karlinas Rücken. Eine Runde im Grundsitz, dann kniet sich Anna hin. Conni klammert sich mit ihren Händen an Annas Schultern und sie – steht!
Hurra, geschafft! Conni lächelt ganz von allein.

Auf einmal hat sie nämlich das Gefühl, dass sie ganz sicher, wie festgewachsen auf Karlinas Rücken steht. So könnte sie ewig weiterreiten.
»Runter«, zischt Anna plötzlich.
Huch, Conni sollte doch nur eine Runde stehen!

Schnell kniet sie sich hinter Anna. Beide breiten die Arme aus – diesmal genau eine Runde lang. Dann machen sie Platz für Lars und Moritz. Die beiden Jungs werden schließlich von Celina und Liska abgelöst, die als bestes Team diese Ponynummer zu einem krönenden Abschluss bringen.
Conni muss lange warten, bis der Applaus verklingt und sie Moritz' Jongliernummer ankündigen kann. Und was der mit seinem Diabolo hinlegt, kann sich wirklich sehen lassen. Das Diabolo fliegt hoch in den Himmel, bevor es Moritz hinter seinem Rücken wieder mit der Schnur auffängt. Es surrt unter seinem Bein durch und um seine Arme herum, dass einem fast schwindelig wird.
»Und nun entschweben Sie mit uns ins Reich der Träume!«, ruft Conni dann. Anna und Liska lassen riesige Seifenblasen in den Himmel steigen. Schließlich, als die letzten Seifenblasen davonfliegen, reitet Celina auf Amadeus herein. Alle halten den Atem an, als sie zum Abschluss ihrer Solokür einen Handstand macht. Dann spreizt sie ihre Beine zu einem tadellosen Spagat und geht mit einem eleganten Überschlag ab.
»Bravo!« Alle klatschen.
Dabei kommt das Beste ja noch.

»Darf ich vorstellen?«, fragt Conni. »Hier nun unser eigentlicher Star des Nachmittags: Amadeus! Bitte retten Sie sein Leben! Spenden Sie großzügig, wenn wir gleich für ihn sammeln. Damit er hier auf dem Ponyhof seinen wohlverdienten Lebensabend verbringen kann!«

Lars startet auf der Musikanlage ein Mozart-Menuett. Amadeus verbeugt sich vor dem Publikum und beginnt zu tanzen. So etwas hat noch keiner von ihnen gesehen. Mit offenen Mündern starren alle auf das Pony, das mit seinen kleinen Hufen anmutig hin und her tänzelt. Fast ist es, als hätte Mozart seine Musik genau für diesen zauberhaften Ponytanz komponiert.

Spätestens jetzt ist jedem klar, wieso Amadeus nicht als Bratwurst enden darf. Als die Zirkustruppe zum Sammeln mit Amadeus' Futtereimer herumgeht, kommt ganz schön etwas zusammen.
Die Behrens staunen nicht schlecht, als Conni ihnen schließlich feierlich die Spenden überreicht.
»Und? Wie ist es?« Gespannt stehen die Kinder um die Behrens herum. »Darf Amadeus bleiben?«
Bevor die Behrens antworten können, kommt Moritz' Vater, Tierarzt Dr. Hoffmann, hinzu.
»Moritz hat mir gesagt, dass Max und Amadeus die besten Freunde sind. Da können wir ihn doch nicht fortgeben, oder?« Dr. Hoffmann lächelt.
»Was halten Sie hiervon? Amadeus darf bei Ihnen auf der Weide stehen. Alle Zusatzkosten zahle ich.« Er zwinkert den Behrens fröhlich zu. »Einschließlich Tierarzt natürlich!«
»Wenn das so ist, einverstanden«, meint Herr Behrens sofort.
»Das ist ja wunderbar!« Frau Behrens hat vor lauter Rührung Tränen in den Augen. »Wissen Sie«, schnieft sie, »nicht nur Max mag Amadeus. In den paar Tagen, die er hier ist, haben wir ihn schon so lieb gewonnen, dass wir ihn eh nicht mehr fortgeben könnten – und zum Metzger schon gar nicht!«

»Hab ich's nicht gesagt«, flüstert Celina den anderen Mädchen zu. Doch die hören es gar nicht mehr. »Jipieh!«, jubeln sie und machen einen Freudentanz. Auch Moritz strahlt über beide Ohren. »Und es bleibt dabei: Ich kümmere mich um Amadeus.«
»Dafür könnt ich dich küssen«, meint Liska.
Moritz verzieht lachend sein Gesicht. »Bloß nicht!«

Gruß und Kuss

Bevor es schließlich nach Hause geht, ist noch eine Menge zu erledigen. Die Ponys müssen versorgt und vor allen Dingen gebührend verabschiedet werden.
Amadeus weiß gar nicht, was los ist. Er kennt es nicht, von so vielen Kindern gleichzeitig verwöhnt zu werden. Aber schön ist es schon! Amadeus schnaubt zufrieden. Und als dann noch Lars einen zweiten Apfel hinter seinem Rücken hervorzaubert, ist er im siebten Ponyhimmel.
Sein Freund Max wird natürlich auch nicht vergessen und bekommt ebenfalls einen Apfel.
»Jetzt holt aber mal eure Sachen«, drängt Connis Vater. »Wir haben noch einen weiten Weg nach Hause!«
»Ja, ja, machen wir«, verspricht Conni. Und wirk-

lich: Irgendwann traben alle die Treppe hoch zu ihren Zimmern.
Aber sie kommen so schnell nicht mehr herunter.
Denn sie haben noch etwas Wichtiges zu erledigen:

Lieber Valentino,
es hat geklappt: Amadeus darf auf dem Pferdehof bleiben! Er hat auch schon einen tollen Freund gefunden: nämlich Max. Das ist das Pony von Moritz, der sich übrigens auch um Amadeus kümmern wird. Vielleicht kommst Du ja bald mal, um Amadeus zu besuchen? Spätestens, wenn Ihr wieder in der Nähe seid! Bei den Behrens bist Du jederzeit herzlich eingeladen!

Viele liebe Grüße
Anna Celina
Conni Liska
Lars und Moritz

Bisher erschienen:

Band 1: Conni auf dem Reiterhof

Band 2: Conni und der Liebesbrief

Band 3: Conni geht auf Klassenfahrt

Band 4: Conni feiert Geburtstag

Band 5: Conni reist ans Mittelmeer

Band 6: Conni und der verschwundene Hund

Band 7: Conni rettet Oma

Band 8: Conni und das Geheimnis der Koi

Band 9: Conni und die Jungs von nebenan

Band 10: Conni und das ganz spezielle Weihnachtsfest

Band 11: Conni und das Hochzeitsfest

Band 12: Conni in der großen Stadt

Band 13: Conni und die verflixte 13

Band 14: Conni und der Dinoknochen

Band 15: Conni und das tanzende Pony

Band 16: Conni und der große Schnee

3 4 5 12 11 10

Umschlag und Innenillustrationen: Herdis Albrecht
Lettering: Björn Liebchen, Hamburg
Lektorat: Susanne Schürmann
Lithografie: ReproTechnik Ronald Fromme, Hamburg
Druck und Bindung: GGP Media GmbH, Pößneck
ISBN 978-3-551-55485-7
Printed in Germany

Celina
So gut wie Celina
werde ich wohl
nie voltigieren!

Anna
Ohne Anna wäre ich wohl
nie auf die Idee gekommen,
einen Voltigierkurs zu besuche

Moritz
Das ist Moritz.
Ausgerechnet so ein
Blödmann hat ein
eigenes Pony.